COLLECTION
*Cascade*

# PAUL THIÈS

# LA SORCIÈRE EST DANS L'ASCENSEUR

## ILLUSTRATIONS DE PHILIPPE MATTER

RAGEOT-ÉDITEUR

Collection dirigée par Caroline Westberg

Couverture : Anne Bozellec
ISBN 2-7002-0015-2
ISSN 1142-8252

## L'ORPHELIN
## QUI NE MENTAIT JAMAIS

Il était une fois, à l'orphelinat de Paimpol, un enfant nommé Gaël.

Blond et mince, Gaël avait les yeux bleus, trois taches de rousseur sur la joue droite, quatre sur la gauche, et le caractère le plus doux et le plus paisible de l'orphelinat. Pourtant, personne ne l'avait adopté.

Gaël se montrait toujours poli, serviable, souriant et docile. Il ne se battait jamais, ne sabotait pas les douches ; il ne versait pas de sucre dans la soupe, ni de sel dans le sucre ; ne faisait pas exploser de pétards sous les lits, ni de grenades à plâtre en classe de calcul ; il ne mordait ni ses camarades, ni les visiteurs, ni le plombier, ni même madame Lemouton, la directrice.

Bref, Gaël était aimable, travailleur et obéissant. Hélas, il avait un défaut.

Un seul défaut, mais insupportable, impardonnable.

Gaël disait TOUJOURS la vérité.

La première fois qu'un couple chercha à l'adopter, Gaël avait sept ans. Il s'agissait du plus riche banquier de Paimpol et de sa femme, parée de bijoux merveilleux.

Le banquier examina le gamin et décida :

– Voilà un garçon sérieux et intelligent. Je lui apprendrai la table des logarithmes, les courbes exponentielles et les délices des taux d'intérêt.

Sa femme ajouta :

– Qu'il est mignon ! Des yeux de saphir et des cheveux d'or...

Le banquier conclut :

– Et une tache de rousseur par jour de la semaine, ce qui est mathématique, utile et raisonnable.

Il se pencha vers l'enfant et affirma :

– Naturellement, plus tard, tu veux devenir un banquier très riche, spécialiste de la haute finance.

Gaël réfléchit un moment, sourit, et répondit poliment :

– Non, monsieur, pas du tout. Plus tard, je veux devenir cambrioleur, attaquer les banques, piller les diligences, m'échapper par les toits en soufflant dans une trompette, et me cacher dans les bois en grillant des saucisses !

La dame gémit :

– Quelle horreur...

Le banquier gronda :

– Quel voyou !

Et au lieu d'adopter Gaël, ils emmenèrent un autre petit garçon dans leur limousine, vers leur maison de trente

pièces. Ils lui offrirent de beaux vête-
ments, une tirelire et une machine à
calcul. Et surtout, ils l'aimaient.

Gaël, lui, se morfondait à l'orphelinat
à peler des patates et laver la vaisselle.

Quelques mois plus tard, un second
couple se présenta.

Il s'agissait d'un illustre savant qui parlait, lisait et écrivait en latin, en sanscrit,
en russe, en grec ancien, en hébreu, en
arabe, en chinois, en nahuatl, et, bien
sûr, en breton et en gaélique comme
vous et moi buvons un verre d'eau fraî-
che à la santé de la tante Cunégonde. Sa
femme se spécialisait plutôt dans le ja-
vanais, le balinais, le japonais et même
le lapon, en cas d'urgence.

Le grand professeur tapota la tête de
Gaël et prédit (en français) :

– Tu deviendras sûrement un érudit,
un puits de science. Tu m'aideras à rédi-
ger un dictionnaire en soixante-dix-sept
volumes, et à nous deux nous gagne-
rons le prix Nobel.

Sa femme ajouta :

– Tu as des yeux d'océan et des cheveux de soleil. Plus tard, tu seras un grand poète.

Le professeur s'informa :

– Naturellement, tu adores les catalogues et les dictionnaires, les anthologies et les encyclopédies ?

Gaël médita la question et répondit :

– Non, seulement les bandes dessinées, les héros masqués et les saucisses grillées.

Le professeur s'inquiéta :

– Tu ne veux donc pas t'instruire ?

Gaël avoua franchement :

– Moi, je n'aime que les récréations !

Le savant murmura :

– Quel paresseux !

Sa femme regretta :

– Quel dommage...

Et ils adoptèrent un autre garçon, qui quitta l'orphelinat avec joie, les suivit dans leur vaste appartement aux bibliothèques surchargées. Là, il apprit à aimer le savoir, et aussi ses nouveaux parents.

Gaël, lui, pelait toujours ses patates,

balayait les parquets en pensant tristement : « Pas de chance… »

De son côté, madame Lemouton, la
directrice, rêvait de se débarrasser de
Gaël. En effet, il lui démontrait avec sa
candeur habituelle :

— Je ne peux pas vous obéir, puisque
vous avez un nom idiot.

Si elle l'enfermait dans un placard, il
en ressortait en déclarant :

— Vous avez TOUJOURS un nom idiot,
et en plus vous êtes méchante.

Si elle lui offrait un peu de tarte aux
pommes, il ronchonnait :

— Ce n'est pas parce que vous faites
des tartes que vous n'avez plus un nom
idiot. D'ailleurs, elles sont trop cuites,
vos tartes…

Du coup, madame Lemouton condam-
na Gaël au pain sec et à l'eau pour trois
semaines, mais il répliqua :

— Je préfère le pain sec aux mauvaises

tartes et puis, vous avez un bouton sur le nez. Ce n'est pas de ma faute si vous avez un gros bouton, madame Lemouton.

Bref, la directrice souhaitait désespérément que quelqu'un adopte Gaël, n'importe qui, même des bandits de grand chemin, des pirates à jambe de bois ou les chimpanzés de la ménagerie. Hélas, Gaël découragea successivement une sage-femme et un croque-mort, un diététicien et une pâtissière, une institutrice et un fort des halles, un commissaire de police et une danseuse de cabaret, un colonel en civil et une infirmière en uniforme...

Il resta donc à l'orphelinat. Parfois, ses anciens camarades passaient dans la rue avec leurs parents, l'air très heureux, et le pauvre gamin baissait mélancoliquement le nez sur ses épluchures.

Peu à peu, sa réputation gagna toute la Bretagne. Plus personne ne lui rendit visite.

14

Le temps passa. Un matin, madame Lemouton le convoqua.

– Bonjour.

L'enfant maugréa :

– Il pleut dehors. Vous dites n'importe quoi.

La directrice soupira :

– Aujourd'hui, c'est ton anniversaire, donc un jour heureux.

– D'abord, mon anniversaire n'empêche pas la pluie de tomber, et ensuite c'est encore pire, car personne ne vient me voir, personne ne me fait de cadeau.

Madame Lemouton grommela :

– Hum, oui, bon... De toute façon, j'ai une grande nouvelle à t'annoncer : demain, tu quittes l'orphelinat.

Gaël sauta de joie :

– Quelqu'un va m'adopter ?

– Malheureusement non, alors je t'ai trouvé du travail chez madame Brosse, une personne extrêmement importante. Tu es assez grand, maintenant, pour apprendre un vrai métier au lieu d'éplucher des pommes de terre. Tu es content ?

Très déçu, Gaël murmura tristement :

– Non. J'aurais voulu des parents.

La directrice insinua :

– Mais tu es sûrement fier qu'on te fasse confiance ? D'avoir des responsabilités ?

Le gamin répondit :

– Je m'en moque ! Je n'ai pas DU TOUT envie de travailler.

Madame Lemouton demanda d'une voix inquiète :

– Au moins, tu seras poli avec madame Brosse ?

– Moi ? Sûrement pas.

Madame Lemouton marmonna :

– Voyons, sois raisonnable. Tu lui diras... tu lui diras... heu...

Gaël suggéra poliment :

– Qu'elle a AUSSI un nom idiot ?

Madame Lemouton rougit, verdit, pâlit, et rugit :

– SORS D'ICI !

Gaël passa le reste de la journée à peler ses dernières bassines de patates. Et dès le lendemain, il quitta l'orphelinat pour entrer au service de la très riche et très mystérieuse madame Brosse.

## UNE DRÔLE DE PATRONNE

Gaël prit l'autobus, tôt le matin, sa valise à la main, et gagna la banlieue de Paimpol.

L'immeuble, ultra-moderne, ne comptait que treize étages, mais donnait pourtant l'impression de disparaître dans la brume... Des nuages gris et noirs s'y accrochaient, et des nuées d'oiseaux criards, freux et choucas, corbeaux et corneilles, tournoyaient près des fenêtres.

Un vigile rébarbatif montait la garde,

17

en uniforme et casquette noirs. Gaël aperçut une plaque de cuivre, frappée de lettres sombres :

ACA-BROSSE

Et dessous, en caractères plus petits :

*Association Charitable Analytique Brosse*

Le gamin s'approcha et s'informa poliment :

– Excusez-moi, monsieur, c'est quoi, une association charitable analytique ?

– Je ne sais pas.

– Pourtant, cette association, c'est vous qui la surveillez ?

Le garde fronça les sourcils :

– Oui.

Gaël lui adressa son sourire le plus candide et déclara paisiblement :

– Donc, vous surveillez quelque chose que vous ne connaissez pas. C'est idiot, non ?

Le garde rugit :

– Insolent !

Gaël admit sans difficulté :

– Oui, m'sieu, je suis insolent.

– Quoi ?

L'orphelin confirma joyeusement :

– Oui m'sieu, je dis toujours la vérité, il paraît que c'est de l'insolence...

Il réfléchit et ajouta par souci de précision :

– Je suis aussi insupportable, d'après ce qu'ils disent...

Le vigile grinça :

– Que veux-tu ?

– J'ai rendez-vous avec madame Brosse. Pour un travail.

– Entre, mais je te préviens : madame Brosse n'apprécie pas l'insolence, elle...

Le garçon pénétra dans un hall magnifique, aux murs et au sol de marbre. Même l'ascenseur aux parois d'acajou lui parut somptueux. Mais il lui sembla, bizarrement, que la cabine parcourait un très long trajet, une course interminable...

Ensuite, Gaël longea un couloir, s'arrêta devant une porte de palissandre portant les mots :

*Mme Brosse.*
*Directrice.*
*Bienfaitrice.*

Gaël entra et découvrit une secrétaire à lunettes, embusquée derrière un bureau. Elle remarqua d'une voix aigre :

– Tu dois attendre que je t'autorise à entrer !

Gaël demanda avec naïveté :

– À quoi bon, puisque je suis capable d'entrer sans votre permission ?

La secrétaire pianotait frénétiquement sur sa machine à écrire :

– Je ne te conseille pas de proférer de telles bêtises devant madame Brosse.

Gaël décida en souriant :

– MOI, je ne dirai pas de bêtises si ELLE ne dit pas d'absurdités.

La secrétaire soupira. Quiconque bavardait avec Gaël soupirait fréquemment. Le gamin enchaîna :

– C'est quoi, une société charitable analytique ?

– Eh bien... Madame Brosse aime aider les gens. Alors, elle utilise des ordinateurs-calculateurs-analyseurs qui lui indiquent qui secourir, et où, et avec combien d'argent.

– Elle est tellement riche ?

– Évidemment ! Elle possède les plus grandes usines de balais du pays !

La directrice-bienfaitrice de l'ACA-Brosse occupait un bureau assez vaste pour y loger l'orphelinat.

Des balais de toutes formes et toutes longueurs pendaient aux murs, et des écrans d'ordinateurs scintillaient dans chaque coin. Les fenêtres dominaient Paimpol, la campagne et la mer.

Gaël fronça les sourcils : il distinguait presque les îles de Jersey et de Guernesey, et même les côtes blanches d'Angleterre. Impossible, surnaturel… Il se frotta les yeux ; les oiseaux se cognaient toujours aux vitres. Et madame Brosse…

Une femme extraordinaire, vêtue de noir… Une silhouette étrange, difforme, un visage fascinant, semblable à une roche moussue, à une pelouse envahie de mauvaises herbes. Des yeux noirs, méchants, brûlants.

Gaël ne bougeait pas. Madame Brosse le fixait avec attention. Sa voix cassante évoquait un roulement de galets, ou un cri d'oiseau :

– Tu es l'orphelin de madame Lemouton ? Tu viens travailler pour moi ?

L'enfant frissonna :

– Oui... Oui, madame.

– Tu as vu l'ascenseur ? J'ai besoin d'un jeune groom, un liftier, pour le manœuvrer. Tu auras un bel uniforme. Tu es content ?

Le gamin se mordit les lèvres, hésita :

– Non madame, pas du tout.

Madame Brosse ne semblait ni fâchée, ni même déconcertée. Elle demanda seulement :

– Pourquoi ?

– J'aimerais une vraie maison, même sans ascenseur, et des parents, au lieu de travailler pour vous. Et puis... vous m'effrayez.

Madame Brosse devina :

– Tu ne t'attendais pas à ce que je sois aussi... laide ?

Gaël hocha la tête :

– Je savais que vous aviez un nom ridicule...

Le gamin plaqua sa main sur sa bouche, mais trop tard. Sa nouvelle patronne l'examinait de ses yeux malveillants.

– Bien. Je suis satisfaite d'avoir un garçon aussi sincère à mon service. On te fournira un uniforme.

L'orphelin s'inclina, mal à l'aise :

– Oui, madame la directrice. Merci madame.

Les oiseaux frappaient toujours les vitres du bec et des serres.

Gaël reçut donc une tenue de liftier : toque ronde et livrée rouge à boutons dorés. Son travail était facile, mais il s'ennuyait. Des hommes en costume trois pièces et des femmes en tailleur s'engouffraient dans l'ascenseur et lançaient d'une voix brève :

– Comptabilité !

– Archives !

– Service du personnel !

Et ainsi de suite...

Gaël appuyait sur le bouton de l'étage correspondant. Ses « passagers » ne lui posaient pas de questions, et s'évitaient donc les réponses désastreuses dont le gamin avait le secret.

Chaque matin, madame Brosse demandait de sa voix sifflante :

– Eh bien, Gaël, toujours mécontent ?

– Oui, madame.

Elle lâchait un rire étrange, discordant :

– Ça changera peut-être...

Et le gamin se sentait glacé de frousse...

La nuit venue, les bureaux vides, Gaël gagnait la minuscule chambrette qu'on lui réservait au sous-sol, remuant d'assez sombres pensées...

Un soir, il entendit des bruits bizarres, loin au-dessus de lui. D'étranges trépidations couraient à travers les murs. Intrigué, il se leva, s'habilla, prit l'ascenseur.

Au dernier étage, avançant à pas de loup, Gaël poussa lentement une porte...

Il pénétra dans une salle immense. Des dizaines d'ordinateurs ronronnaient sourdement, pareils à des tigres assoupis. Mais le jeune liftier remarqua aussi des chaudrons vrombissants, des cornues, des alambics... L'enfant allongea le cou, et aperçut madame Brosse. Penchée au-dessus d'une énorme marmite, elle proférait des incantations incompréhensibles.

Le gamin s'accroupit derrière une table, le cœur battant, les yeux écarquillés. Sa patronne grommela longtemps ses formules en reniflant la mixture verdâtre qui mijotait. Elle claqua des lèvres d'un air gourmand, posa un lourd couvercle de fonte sur le breuvage.

Un balai de paille des plus ordinaires pendait au mur. La riche et généreuse et bienfaisante et respectable madame

Brosse le décrocha, l'enfourcha, ouvrit la fenêtre, et s'envola dans les airs au milieu d'une nuée d'oiseaux surexcités.

Recroquevillé dans son coin, Gaël tremblait comme une feuille : madame Brosse était donc une sorcière !

## VIVIANE

Heureusement, le lendemain, dimanche, Gaël ne travaillait pas. Il mit quand même son uniforme ( pour avoir l'air plus respectable ), sauta dans l'autobus, regagna l'orphelinat et fonça jusqu'au bureau de madame Lemouton, qui l'accueillit avec un sourire dubitatif :

– Tiens ? Ce cher Gaël... Hum... Ravie de te revoir. Tu es content ?

Hors d'haleine, l'enfant cria :

– Oh non ! Pas du tout !

Madame Lemouton gémit :

– J'aurais dû m'en douter... Pourquoi ?

Gaël jeta un regard méfiant vers la
porte, un coup d'œil prudent par la
fenêtre, examina d'un air soupçonneux
les classeurs de la directrice, dansa un
bon moment d'un pied sur l'autre, et
chuchota nerveusement :

– Madame Brosse est une sorcière !

– Comment ?!

Le gamin répéta d'une voix presque
inaudible :

– Une sorcière ! La nuit, elle mijote
des potions magiques dans de grosses
marmites, et ensuite elle s'envole sur
son balai ensorcelé !

Madame Lemouton s'effondra sur sa
chaise, le visage entre les mains et bredouilla :

– Ma... marmite ?

Gaël confirma respectueusement :

– Marmites et chaudrons, oui madame la directrice.

– Ma... magiques ?

– Drôlement magiques, madame la
directrice, j'avais l'impression de devenir

une grenouille glissante ou un crapaud
à crampes rien qu'en regardant !

– Et… un… balai ?

– Ah, madame la directrice… Avec
un balai pareil pour la cour et les couloirs et les dortoirs, vous auriez l'orphelinat le plus propre du pays !

Madame Lemouton poussa le plus
formidable soupir de sa longue carrière
et soudain, déclara joyeusement :

– Bravo Gaël ! Admirable, prodigieux !
Je suis très fière de toi !

Le garçon protesta :

– La sorcière me cuira dans ses marmites !

– Merveilleux !

– Me grillera !

– Extraordinaire !

Gaël en bafouillait d'indignation :

– Me rôtira !!! Aux petits oignons ! Et
avec des lardons !

– Magnifique ! Tu mens, pour la première fois de ta vie ! Je te félicite !

– Mais c'est la vérité ! C'est VRAI !
Madame Balai est une sorcière qui s'envole sur sa brosse. Euh… je veux dire…

La directrice riait de bon cœur :

31

– Et elle veut te transformer en chauve-souris, je sais, je sais... Excuse-moi, j'ai beaucoup de travail.

Gaël se retrouva dans la rue, perplexe et désemparé. Et là, il remarqua une fille de son âge qui l'observait...

Elle était blonde, vêtue d'un jean bleu et d'un anorak vert. Elle loucha vers lui, intriguée par sa livrée, puis vers le bâtiment, derrière, et s'informa :

– Tu es orphelin ?

– Oui.

Elle lui sourit gentiment :

– Pas de chance. Je m'appelle Viviane Caradec. Et toi ?

– Gaël.

Elle le considéra avec intérêt, et déclara :

– Tu es mignon. Tu habites à l'orphelinat ? Tu veux passer un moment avec moi ? Je ne suis pas trop bavarde ?

Gaël répliqua :

– Merci. Non. Oui. Oui.

La fillette parut déconcertée :

– Comment ?

Gaël expliqua :

– Merci de me trouver mignon. Non, j'habite chez une sorcière. Oui, je veux bien passer un moment avec toi. Et oui, tu es un peu trop bavarde.

Viviane fronça les sourcils :

– MOI ?

– Ce n'est pas grave. Moi aussi, je parle trop, alors on devrait s'entendre. Et puis... et puis...

Il rougit comme une tomate, une pivoine, un homard plongé dans la marmite de madame Brosse et avoua :

– Je... hum... te trouve très jolie...

Viviane éclata de rire :

– Tout à fait d'accord ! Tu viens ?

Gaël, ravi, se sentait plus fier que le roi Arthur le jour de son couronnement. Mais, alors qu'ils marchaient depuis trois minutes à peine, Viviane s'arrêta net, grimaça, et demanda d'une voix incertaine :

– Hé ! Tu habites chez une... SOR-CIÈRE ?

Gaël confirma tranquillement :

– Oui, oui, ma patronne... La nuit dernière, elle s'est envolée par la fenêtre. En balai. Sans filet.

Sa nouvelle amie le considéra d'un œil soupçonneux.

– Tu es un drôle de garçon...

Gaël répondit avec une pointe de tristesse :

– J'énerve les adultes. Madame Lemouton dit que si je n'étais pas orphelin, mes parents attraperaient des cheveux verts à cause de moi...

Viviane s'esclaffa :

– Marrant ! Viens à la maison, qu'on vérifie !

Elle entraîna Gaël dans les rues du vieux Paimpol. Le gamin découvrit un quartier qu'il ne connaissait pas : rues pavées, ensoleillées et silencieuses, façades vénérables, demeures vastes et cossues protégées par des jardins discrets et d'épais murs de pierre.

Viviane s'arrêta rue des Marchands de Tabac, devant une maison de trois étages recouverte de lierre. Gaël entendait des rires, des voix d'enfants derrière

les fenêtres. Il hocha pensivement la tête :

— J'aimerais bien vivre ici...

— Ma famille habite cette maison depuis plus d'un siècle. Elle te plaît ?

Gaël réfléchit :

— Je suis content pour toi que TU y habites, mais je préférerais y habiter MOI, et que TOI tu habites ailleurs (par exemple le sous-sol minable de madame Brosse) ; et MOI, je profiterais de ta belle maison.

Viviane ouvrit des yeux ronds et protesta :

— Tu es un horrible égoïste !

— Mais oui. Pas toi ?

La fillette lâcha un soupir digne de madame Lemouton et suggéra :

— Euh... Tâche d'être un peu moins... ou plus... enfin, hem... diplomate, avec mes parents.

Le garçon promit sans conviction :

— J'essaierai...

Dans le grand salon, chaque objet et chaque meuble, l'horloge de chêne, les livres, les tableaux, semblaient à leur place depuis toujours. Un feu de sarments crépitait dans la cheminée.

Une porte-fenêtre s'ouvrait sur le jardin où trois garnements, tour à tour mousquetaires, califes, apaches et cosmonautes s'entre-tuaient avec allégresse. Un magnifique labrador supportait stoïquement leurs vociférations, jouant avec résignation le rôle du cardinal de Richelieu, du shérif, du tigre affamé, du loup de Sibérie, de l'éléphant apprivoisé, et même celui du Martien à huit cornes.

Dès qu'ils aperçurent le nouveau venu, les gamins s'alignèrent sur le seuil, en rang d'oignons, les yeux brillants de curiosité. Le labrador fourra amicalement sa truffe humide entre les doigts du jeune liftier.

Viviane fit les présentations :

– Hervé, Yann et Gildas, mes p'tits frères ! Des terribles, des sauvages, encore pires que Crapule ( c'est le chien ).

Gaël caressa la tête du labrador,

regarda les enfants, et soupira... Il se sentait un peu ridicule dans son uniforme.

Monsieur Caradec lui tendit aimablement la main :

– Bonjour.

Madame Caradec lui souriait :

– Tu veux jouer avec nos terreurs ?

– Eh ben... Un peu.

– Comment ?

– Ben oui... J'ai à moitié envie de jouer avec eux, et à moitié envie de leur taper dessus, puisque je suis plus grand qu'eux, et parce que je suis jaloux.

Monsieur et madame Caradec semblaient pétrifiés. Viviane précisa nerveusement :

– Hum... Il plaisante.

Les parents parurent soulagés :

– Vraiment ?

– Pas du tout. Viviane est très gentille, mais là, elle raconte n'importe quoi...

Les parents reprirent l'air soucieux. Viviane se hâta de répéter :

– Si, si, il plaisante. Hum... ça le détend ; faut dire qu'il travaille toute la semaine.

Gaël précisait déjà :

– Pour une sor…

Viviane lui plaqua une main sur la bouche :

– Bon ben… On monte jouer au grenier, hein !

Les parents échangèrent un regard perplexe :

– Curieux garçon…

– Il a pourtant l'air gentil…

La maison possédait un grenier immense, bourré de coffres centenaires et d'objets hétéroclites ayant appartenu à des aventuriers, des princesses capricieuses ou des pirates à la retraite. Une vraie caverne d'Ali Baba.

Viviane flatta un cheval à bascule datant sûrement de la duchesse Anne, s'installa sur un tambour poussiéreux, posa son menton entre ses mains et demanda :

– Maintenant, parle-moi de cette sorcière.

Gaël résuma de son mieux la situation. Viviane le dévisagea d'un air soupçonneux :

– Tu me racontes des histoires, hein ?

L'orphelin s'indigna :

– Je dis TOUJOURS la vérité !

– Ah oui... J'oubliais. Eh bien, je t'aiderai. Samedi prochain, je t'accompagne, et on verra ce qu'elle cache dans ses marmites, ta madame Brosse !

Brusquement, Gaël se sentit très heureux. Il avait trouvé une alliée, une conseillère, une complice... et une amie. D'un seul coup !

## LE SECRET DE MADAME BROSSE

Le lendemain matin, Gaël retrouva son ascenseur et son travail.

À dix heures précises, madame Brosse pénétra dans la cabine, le regard inquisiteur.

– Tu as passé un bon dimanche ?

Gaël bafouilla :

– Oui, madame la directrice. Merci madame.

– Ton travail te plaît davantage ? Tu es plein d'énergie pour toute la semaine ?

Gaël baissa la tête.

– Non, madame la directrice.

Madame Brosse lâcha un rire grinçant en quittant l'ascenseur :

– Dommage...

Gaël poussa un soupir de soulagement : si la sorcière l'avait interrogé de façon plus précise...

Gaël s'ennuyait moins : la frousse, ça occupe. Il était presque content de savoir que madame Brosse mijotait des horreurs dans ses marmites, des monstruosités dans ses chaudrons, et pire encore dans les cornues et les alambics bouillonnant dans ses caves humides, ou au mystérieux dernier étage bourré d'ordinateurs...

Mais le garçon pensait surtout à Viviane.

Pour elle, il transformait l'ascenseur en caravelle et en fusée. Il lui proposait un bal sur la lune, un plongeon dans l'arc-en-ciel, puis une soupe à la comète, des saucisses grillées sur les volcans de Mars, un clafoutis d'astéroïdes…

L'orphelin trépignait dans son ascenseur à longueur de journée ; en fin d'après-midi, il retrouvait Viviane qui sortait de l'école. Le jeune liftier ne prenait pas toujours le temps de se changer, et la fillette riait :

– Tu es drôlement mignon, avec ta toque rouge.

Gaël s'empourprait, inclinait crânement son couvre-chef sur ses cheveux blonds, riait à son tour.

Ils se baladaient ensemble, dans les vieilles rues ou sur le port, puis allaient chez elle, rue des Marchands de Tabac. Les Caradec appréciaient Gaël : un enfant aimable, respectueux, d'une politesse exemplaire, beaucoup plus calme que les trois galapiats qui galopaient à travers les couloirs, chevauchant Crapule, renversant les meubles et brisant les assiettes.

De son côté, l'orphelin savourait l'atmosphère de la grande maison, les rires des gamins, la gentillesse des parents…

et les menus qu'on lui réservait. Il dévorait à belles dents gigots et gâteaux, civets aux champignons, pommes sautées et salades de fruits rouges : drôlement meilleur que les tristes patates de l'orphelinat !

D'ailleurs, plus il mangeait, moins Gaël parlait... ce qui lui évitait ses gaffes habituelles. Pourtant, il frôlait parfois la catastrophe :

– C'est bon, les choux de Bruxelles ?

– Non madame, infect. Presque aussi mauvais que les courgettes d'avant-hier.

Viviane affirmait précipitamment :

– Euh... Maman, il trouve ton poulet rôti ABSOLUMENT délicieux. Pas vrai, Gaël, tu aimes le poulet rôti ?

– Oh oui, j'adore ça. Par contre, les choux de Bruxelles...

Viviane rugissait :

– Je ne te parle pas de choux ! Les choux, c'est bon pour les hiboux ! Tu as des cailloux dans les oreilles, ou quoi ?!

Gaël reprenait des framboises sous le nez d'Hervé, raflait les cerises de Yann, kidnappait les groseilles de Gildas, refilait en douce un croûton à Crapule ; et jugeait Viviane un peu nerveuse, par moments.

Un jour qu'ils flânaient sur le port, en fin d'après-midi, Viviane suggéra à son ami :

– Si tu quittais ton travail ? Employé par une sorcière, brrrr...

Gaël contemplait avec mélancolie les caboteurs et les voiliers. Il murmura :

– Madame Lemouton jure que si je retourne à l'orphelinat, elle me vendra à un voleur d'enfants. En solde.

Viviane haussa les épaules :

– Elle ment sûrement.

– Pourquoi ? Moi, je ne mens jamais.

Viviane soupira, et changea de sujet. La sirène d'un petit cargo annonçait l'Angleterre, ou le Danemark...

– Tu aimerais t'en aller, naviguer ? Mes ancêtres parcouraient le monde. Papa raconte même que l'un d'eux était mousse sur un bateau pirate...

– Moi, je voudrais rester avec toi,

aller à l'école avec toi, habiter avec toi...

La fillette rougit de plaisir, mais lui conseilla :

– Tu sais, dans ce cas, tu devrais apprendre à mentir. Aux profs, aux parents, ou même aux copains... C'est indispensable !

Gaël demanda naïvement :

– Pourtant, il faut toujours dire la vérité, non ?

Viviane se gratta l'oreille.

– Euh... Bien sûr, bien sûr, mais... hum... Un petit compliment de temps en temps, par exemple, ça fait toujours plaisir...

– Même s'il n'est pas mérité ?

– Et oui... Moi, par exemple, je te trouverais ADORABLE, si tu me faisais un compliment...

Gaël rougit à son tour, et marmonna :

– Tu es gentille... et... et plus jolie qu'un papillon vert et bleu.

Viviane portait justement un gros pull bleu, une salopette vert et bleu. Elle applaudit :

– Ah ! Bravo ! Continue !

Le gamin réfléchit honnêtement :

– Ben... Tu es quand même moins jolie qu'une libellule. J'adore les libellules.

Viviane soupira de nouveau ; des mouettes venues des Hébrides, ou des Orcades, se disputaient des poissons argentés.

Les enfants repartirent main dans la main, se séparèrent devant l'arrêt du bus.

– N'oublie pas : samedi soir, expédition anti-Brosse...

Au jour dit, Viviane quitta sa maison en cachette, gagna la banlieue, trouva l'immeuble et se glissa à pas de loup dans la chambre de Gaël.

– Prenons l'ascenseur.

Viviane fit la moue en découvrant la cabine :

– Tu passes tes journées là-dedans ?

– Ben oui...

– C'est pas drôle... Un genre de cage...

Au treizième étage, les couloirs déserts parurent à Gaël encore plus menaçants, plus interminables que d'habitude... Il murmura :

– On arrive.

Madame Brosse marmonnait ses formules au-dessus de ses marmites. La mixture bouillonnante jetait un éclat brunâtre sur son visage d'oiseau de proie.

Les enfants se blottirent derrière un fauteuil. Viviane souffla :

– Doivent avoir une drôle de tête, ses choux de Bruxelles et ses courgettes...

– 'tention...

Madame Brosse se retourna brusquement. Ses yeux étroits luisaient comme des joyaux vénéneux.

Viviane se leva sans un mot, fascinée, comme inconsciente du danger. Gaël était paralysé, incapable de l'aider.

Madame Brosse grommela :

– Bienvenue. Approche... encore...

Elle étendit la main vers Viviane... Soudain, un éclair déchira la pièce.

Gaël chancela, poussa un cri, se frotta les yeux.

– Viviane ! Où est-elle ?

Madame Brosse riait, en caressant de ses doigts décharnés une cage où tremblait un bel oiseau jaune, vert et bleu.

Gaël bégaya :

– C'est... c'est MA Viviane ? Lâchez-la ! Je vous déteste ! Sorcière !

Madame Brosse montra d'un geste les marmites et les machines accumulées dans son repaire, et expliqua d'une voix narquoise :

– Je suis effectivement une sorcière, et je cherche à augmenter mes pouvoirs, grâce à un élixir de mon invention. J'ai réuni tous les ingrédients, sauf... toi.

Gaël claquait des yeux en écarquillant les dents... ou à peu près... Il gémit :

– Vous voulez... me bouillir ?

Madame Brosse ricana en lui désignant un grimoire à couverture de cuir :

– Non. Tu liras à voix haute une de mes formules. Il faut qu'elle soit récitée une nuit de pleine lune, par un enfant qui n'ait jamais menti de sa vie.

La sorcière hocha la tête :

– Les gens qui ne mentent pas sont rarissimes. Bien qu'âgée de... mmmh... quelques siècles, je me suis modernisée : j'ai utilisé mes ordinateurs pour découvrir l'enfant le plus sincère de Bretagne, et je t'ai déniché dans ton orphelinat.

Gaël clama avec indignation :

– Je ne vous aiderai jamais !

Madame Brosse posa la main sur la cage où l'oiseau ensorcelé fixait le jeune garçon de ses yeux implorants.

– Il vaut mieux m'obéir, Gaël. Sinon...

## LES CONSEILS DE MONSIEUR MIEL

Les soirs suivants, Gaël erra tristement dans les rues de Paimpol, sans oser se présenter devant la belle maison de pierre, rue des Marchands de Tabac.

Il se sentait coupable : les Caradec, la police cherchaient Viviane, mais comment leur avouer la vérité ?

L'orphelin traînait dans les faubourgs, au hasard. Un vendredi, au crépuscule, il se retrouva dans une rue bordée de pavillons, puis dans une venelle courant entre des masures décolorées et des terrains vagues envahis d'herbes folles.

Des champs, des pommiers, quelques baraques en ruine, enfin une lande grise, nue, caillouteuse, balayée par les bourrasques...

Le gamin perçut un miaulement à ses pieds. Un chat noir aux yeux verts, aux oreilles pointues, la queue en point d'interrogation, l'observait de ses prunelles brillantes. Distrait de son chagrin, Gaël se baissa, flatta la nuque et les flancs de la bestiole :

– Bonjour, toi !

Le chat ronronna d'un air aimable, se frotta contre les jambes du gamin. Gaël s'accroupit pour jouer avec la queue soyeuse du matou :

– Tu es gentil. Pourtant, je préfère Crapule. Il a de belles longues oreilles, lui.

Par chance, contrairement à madame Lemouton, aux parents adoptifs et aux employés de l'ACA-Brosse, le chat noir ne se vexait pas facilement. Il ronronna de plus belle, se roula dans l'herbe sèche et, cabriolant comme un farfadet, lâcha un miaulement sarcastique, fila droit devant lui...

Gaël se redressa :

– Tu veux jouer ?

Le chat miaula encore. Au-dessus de la lande, la lune brillait, pareille à une assiette à soupe.

– Tu sais, je n'y connais rien en souris ni en sardines...

Le chat émit un feulement qui ressemblait à un éclat de rire. Sans trop savoir pourquoi, Gaël se décida à le suivre.

Le chat caracolait à travers les genêts et les chardons. Gaël s'essoufflait, frôlant des lumières rapides et indistinctes, feux follets, vers luisants... ou les minuscules lanternes des lutins et des korrigans.

Gaël entendit une voix de femme, une chanson qui flottait dans la nuit. Le chat l'avait mené jusqu'à une maison isolée... Le matou miaula une dernière fois, se faufila dans une fente, et disparut.

Un peu effrayé, Gaël examina la bâtisse délabrée, bien plus vieille que la demeure des Caradec. La lune dansait sur les pierres.

La maison s'allongeait sur la lande, se confondait avec elle. Un chêne énorme la soutenait. La cheminée fumait, un puits s'ouvrait dans la cour envahie de fougères, d'orties et de gueules-de-loup. La chanson montait toujours dans la nuit malgré l'épaisseur des murs et la porte massive, surmontée d'une très vieille sculpture de pierre, un dragon grossièrement taillé.

Gaël renifla. Une savoureuse odeur de crêpes flottait dans l'air ; il avait si froid... L'enfant hésita, puis frappa timidement à la porte.

– Entre !

Le garçon découvrit une grande pièce entièrement tapissée de livres. Ils s'entassaient sur les chaises, le plancher, les coffres et les bahuts. D'épais volumes à dos de cuir couvraient les murs, des piles de parchemins bruissaient dans tous les coins. Une fenêtre étroite donnait sur la lande, un feu de bûches, parfumé par des brassées de gui et de houx, brûlait dans la cheminée.

Gaël devina la cuisine par une porte entrebâillée : longue table de ferme, casseroles et couteaux accrochés au mur. À côté, une seconde porte, fermée.

Le regard de Gaël tomba sur un bureau qui disparaissait, outre les grimoires, sous un amoncellement d'objets divers : sablier, compas, loupes, plumes, fioles, une boîte à thé en métal, des tasses vides, et le phonographe antédiluvien d'où s'échappait la voix rauque de la chanteuse. Le chat noir, roulé en boule sur une rame de papier, observait Gaël de ses yeux mi-clos. Une bouilloire ventrue sifflait sur un énorme poêle de faïence ; des crêpes dorées grésillaient tout à côté.

Un personnage au visage sagace et attentif méditait dans un fauteuil de bois sombre.

– Assieds-toi.

Gaël se percha sur un tabouret.

L'homme et le chat le regardaient sans rien dire.

Le jeune orphelin marmonna :

– Euh... Bonjour m'sieu. Fait froid, hein ?

– Bienvenue, Gaël. Réchauffe-toi, si tu veux...

Gaël souffla sur ses doigts gourds, se rapprocha du poêle rouge, de la cheminée qui ronflait. Il demanda, étonné :

– Vous connaissez mon nom, m'sieu ?

– Tu t'appelles Gaël et tu cherches à sauver ton amie Viviane Caradec, prisonnière d'une certaine madame Brosse, une sorcière.

– Vous savez ça aussi ? Qui êtes-vous ?

L'inconnu arrêta le phonographe :

– Cette chanteuse se nommait Mélodie Gaël, « le rossignol de Bretagne », et son nom ressemble au tien. Je l'ai connue jadis, j'aime encore sa voix...

Il sourit :

– Revenons au présent : moi je m'appelle Miel. Rowan Nominoë Miel.

Malgré lui, le gamin étouffa un rire.

– Qu'est-ce qui t'amuse ?

Gaël s'empourpra, et avoua :

– Vous avez de drôles de noms, m'sieu.

L'inconnu expliqua sans se vexer :

– Rowan et Nominoë sont de très vieux noms bretons. Quant à Miel...

Il s'empara d'un pot de miel posé près de lui, en versa sur une crêpe brûlante :

– Tu en veux, avec un peu de thé ?

Gaël se rendit compte qu'il mourait de faim.

– Oh oui, m'sieu !

Monsieur Miel lui tendit la crêpe, et une tasse fumante. Pendant que Gaël dévorait à belles dents, son hôte retournait d'autres crêpes avec une rapidité incroyable.

Le gamin se pourléchait, partageant son festin improvisé avec le chat noir. L'inconnu souriait toujours :

– Tu vois, ce n'est pas si ridicule de s'appeler Miel...

Gaël pensait encore que si, mais il se sentait si seul, et si triste... Redoutant d'être chassé, il répondit, presque sans réfléchir :

– Non, m'sieu...

Gaël désigna le matou :

– Et lui ?

– Il n'a pas de nom. Il va et vient à son gré, et disparaît souvent, car il adore la solitude.

Gaël murmura sourdement, par fierté, pour cacher son chagrin :

– Moi... moi aussi. C'est une chance, d'être seul.

L'inconnu le dévisagea avec une expression étrange, et finit par dire :

– Gaël... Tu désires délivrer ton amie, et apprendre à mentir.

– Je n'y arrive pas !

– Pourtant, tu m'as déjà menti deux fois.

Gaël ouvrit des yeux ronds :

– Moi ?

Monsieur Miel se resservit une tasse de thé, et expliqua :

– Tu trouves toujours mon nom ridicule, mon garçon... Et tu détestes la solitude. En réalité, tu donnerais cher pour avoir une famille et une maison comme celle-ci...

Gaël rougit, baissa la tête et souffla d'une toute petite voix :

– Oui... Oui, c'est vrai...

L'inconnu caressait le chat noir gavé de crêpes :

– Mmmmmh... Voilà ce que je te conseille. Reprends ton travail. À la prochaine lune, quand madame Brosse t'ordonnera de lire la formule magique dans son grimoire, tu obéiras.

– Mais...

– D'ici là, tu auras prononcé trois mensonges... au moins. Le plan de la sorcière sera déjoué, et toi, plus tard, tu mentiras parfois, comme tout le monde.

Gaël grimaça d'un air de doute.

– Vous vous croyez capable de vaincre madame Brosse, avec son argent, ses marmites, ses ordinateurs, alors que vous... hum...

Gaël se tut, désignant les vieux meubles et les livres entassés d'un geste expressif. Monsieur Miel savourait paisiblement sa dernière crêpe :

– Ma bicoque n'est pas aussi impressionnante que l'immeuble de l'ACA-Brosse, mais... mmmmh... j'ai deux ou trois tours dans mon sac, moi aussi...

Une bûche se brisa dans la cheminée. Le chat noir se frotta une dernière fois aux chevilles de l'orphelin.

– Tu dois partir, Gaël.

Le garçon se leva docilement :

– C'est gentil de m'aider, m'sieu. Vous comprenez, je n'ai pas l'habitude de la magie, moi. À part madame Brosse, je n'ai jamais rencontré de sorcier.

Les flammes grimpaient si haut que la porte fermée craqua sur ses gonds et s'ouvrit d'elle-même. Et, dans la pièce cachée, l'enfant aperçut un laboratoire peuplé de cornues hoquetantes, d'alambics gargouillants, de marmites où fumaient des élixirs multicolores. Le jeune liftier recula précipitamment.

Monsieur Miel demanda avec calme :

– Quelque chose t'a fait peur ?

Le garçon bredouilla :

– Euh… non, non ! Il fait trop sombre. Je n'ai rien remarqué !

Monsieur Miel éclata de rire. Il frappa joyeusement du plat de la main un précieux almanach enluminé, qui avait jadis appartenu aux ducs de Bretagne, et encore avant aux rois d'Irlande.

– C'est ton troisième mensonge, Gaël.
Tu as bien vu : moi aussi, je suis un sorcier…

Il lui mit la main sur l'épaule :

– Demain, tu prononceras un nouveau
mensonge, un mensonge important. Et
tu seras libéré de cette… maladie, qui
te pousse à dire leurs quatre vérités aux
gens. La réalité, la vie sont compli-
quées : il faut parfois savoir dire oui,
parfois non, choisir entre toutes ces
vérités, comme lorsqu'on choisit des
habits pour une fête ou pour un jour
ordinaire…

Avant d'être revenu de sa surprise,
l'orphelin se retrouva dans la cour, sous
la lune. Le chemin filait sur la lande.

Pensif, Gaël regagna lentement la
ville.

## LA NUIT DE LA PLEINE LUNE

Gaël réfléchit toute la nuit, et le lendemain matin, il se présenta au bureau de madame Lemouton.

La directrice de l'orphelinat fronça les sourcils :

– Que veux-tu encore ?

Embarrassé, le jeune liftier se balançait d'un pied sur l'autre.

– Ben... Vous... vous dire que finalement, je suis content de travailler chez madame Brosse. J'ai... euh... appris des choses, rencontré des gens...

Madame Lemouton, stupéfaite, marmonna :

– C'est VRAI ?

Gaël hésita :

– Ben... Plus ou moins...

Il soupira :

– Ouf ! J'espère que monsieur Miel sera content.

– Qui ça ?

– Monsieur Miel, un sorcier que je connais.

La directrice glapit :

– DEHORS !

L'enfant obéit, en murmurant :

– Finalement, c'est difficile de s'y retrouver, entre la vérité et le mensonge...

De retour aux bureaux, Gaël se planta devant le vigile à casquette noire de l'ACA-Brosse et déclara :

– J'ai retrouvé mon père, et c'est un milliardaire ! Il rachètera bientôt l'immeuble. MOI, j'aurai une chambre magnifique, avec plus de jouets qu'un magasin, et VOUS, mon père vous flanquera à la porte !

Le garde rugit :

– File, chenapan !

Gaël obéit en riant sous cape :

« Toujours furieux, celui-là, que je mente ou non ! »

L'instant d'après, le jeune liftier adressait un sourire charmeur à la secrétaire de madame Brosse :

– Vous êtes drôlement belle, si, si ! Si j'étais grand, je vous offrirais des dragées, et des bonbons, et des vacances sous les cocotiers, oh oui !

La secrétaire minauda derrière son triple menton :

– Vraiment ?

– Ah oui ! Et en plus, vous êtes SI intelligente ! Je suis sûr que sans vous, l'ACA-Brosse ferait faillite. La concurrence... hum... nous balaierait !

La secrétaire pensa :

« J'ai mal jugé cet enfant. Il est très mignon, ce petit, charmant, plein d'avenir... »

Elle sortit d'un tiroir une magnifique boîte de chocolats :

– Tu en veux un ?

Gaël en rafla plusieurs et repartit vers l'ascenseur en savourant ses friandises. Il décida :

« Viviane et madame Lemouton avaient raison ! Un petit mensonge de temps en temps, ça peut servir. Et même un gros ! »

Désormais, Gaël s'entraînait consciencieusement. Dans son ascenseur, il mélangeait pour le plaisir les numéros des étages, débarquait les ingénieurs dans les bureaux des comptables et les livreurs à la cantine, abandonnait sans pitié les dactylos dans les débarras moisis et les recoins obscurs. Il répondait candidement à leurs reproches :

– Désolé, je me suis trompé.

Il souriait d'un air innocent, ajoutait :

– C'est vrai...

Il pensait à Viviane, que ses parents

recherchaient toujours, à la maison sur la lande, et à la pleine lune. Il se sentait triste et effrayé, mais aussi rempli d'espoir.

Mais devant madame Brosse, il retrouvait le visage naïf de l'ancien Gaël, l'orphelin incapable de mentir.

Le samedi de la pleine lune arriva enfin. La nuit venue, madame Brosse ordonna sèchement :

– Dernier étage.

Le jeune liftier s'inclina :

– Bien, madame la directrice.

– Tu m'obéiras ?

– Oui, madame la directrice.

Ils quittèrent l'ascenseur, retrouvèrent la salle des ordinateurs. Dans la cage dorée, l'oiseau ensorcelé se pressait contre les barreaux.

Le cœur de Gaël battait la chamade :

« Je te sauverai ! Promis, juré ! »

Madame Brosse se frottait les mains d'impatience. Elle farfouilla dans ses parchemins, souffla sur ses potions et glapit :

– Allons-y ! Prends le grimoire, place-toi à la fenêtre, et lis à voix haute.

Gaël obéit en jetant un dernier regard à la cage.

La lumière incertaine, impalpable de la lune éclaboussait ses cheveux blonds et les pages vénérables du livre.

L'orphelin déchiffra des mots étranges, rocailleux, ténébreux, qu'il ne comprenait pas. Il lui semblait que la pensée de la sorcière le forçait à prononcer les formules. Corbeaux, corneilles et freux cognaient aux fenêtres. Leurs ombres crochues passaient sur les lettres recourbées. Gaël lisait toujours...

Alors qu'il arrivait au bas de la page, une secousse brutale ébranla l'immeuble. Les murs vibraient, les marmites et les chaudrons bouillonnaient sauvagement, les ordinateurs explosaient.

Le garçon lâcha le grimoire ; la lune flambait sur les vitres crevées et les machines devenues folles. Les barreaux de la cage se brisèrent comme des fils de coton.

Le sortilège se rompit, et Viviane apparut devant Gaël qui poussa un cri de joie, l'embrassa en dansant de bonheur. Mais un hurlement de rage les figea sur place :

– Tu as menti !

Madame Brosse se transformait à son tour. Des ailes noires s'étendaient autour d'elle ; son nez et son menton s'allongeaient, se recourbaient, lui donnant un profil d'oiseau de proie.

Elle siffla furieusement :

– Tu as menti !

Le garçon éclata de rire :

– Et oui ! Londres est la capitale de la France, il pousse des palmiers dans la forêt de Brocéliande, je suis le fils du roi des Elfes, tu es plus jolie que la reine des libellules, et je sais mentir, mentir, millions et merveilles, hourra !

La sorcière se rua sur eux, mais une nouvelle secousse ébranla l'immeuble. Une crevasse s'ouvrit sous les pas de madame Brosse, qui disparut dans les ténèbres en poussant un croassement effroyable.

Viviane cria :

– Tout va s'effondrer !

– À l'ascenseur !

Le garçon saisit la main de son amie et l'entraîna à travers les couloirs qui se désagrégeaient. Le jeune liftier haleta :

– Oh la la ! Si seulement monsieur Miel était là !

– Qui ?

Gaël expliqua sans reprendre son souffle :

– Un sorcier qui habite sur la lande avec un chat sans nom. D'ailleurs il ne s'appelle pas vraiment Miel (le sorcier, pas le chat) et pourtant il m'a donné des crêpes au miel, et du thé, rudement bon, et la chanteuse avait le même nom que moi, et le chat aussi aimait les crêpes, et j'ai appris à mentir d'un seul coup, et quand je serai grand, je deviendrai un sorcier, moi aussi, ou peut-être un pâtissier…

Viviane lança :

– Ce n'est pas parce que tu sais mentir que tu dois raconter n'importe quoi.

Gaël protesta :

– Mais ÇA, c'est VRAI !

La fillette répéta :

– N'importe quoi !

Il se lamenta :

– Oh la la ! Mensonge ou vérité, ça ne marche jamais !

Ils s'engouffrèrent dans l'ascenseur. La cabine grinçait, craquait, cahotait. Viviane gémit :

– Pourvu qu'on s'en sorte !

– Je suis sûr que monsieur Miel a tout prévu.

– C'est ça ! Et il nous attend en bas avec un pot de miel et des crêpes au piment. Il n'existe même pas, ton sorcier !

Heureusement, l'ascenseur les déposa sains et saufs au rez-de-chaussée. L'immeuble vacillait sur ses fondations. Les enfants détalèrent à toutes jambes, et ne se retournèrent que lorsqu'ils se jugèrent à l'abri.

Le bâtiment vibrait, la plaque de cuivre « ACA-Brosse » luisait d'un éclat sinistre. Des nuées d'oiseaux noirs tournoyaient dans l'espace.

Soudain, l'immeuble s'effondra avec fracas. Les oiseaux disparurent vers la mer ; une énorme corneille noire piaillait ; elle avait la voix de madame Brosse...

Dans la rue dévastée, les enfants se tenaient par la main. Viviane murmura d'une toute petite voix :

– J'ai cru que je passerais ma vie dans cette cage, comme toi dans ton ascenseur. Maintenant, je suis libre !

Gaël soupira :

– Toi... Moi, je retourne à l'orphelinat...

La fillette se serra contre lui :

– Viens chez nous, au moins cette nuit.

– Tu es sûre... vraiment ?

– Oui.

Le garçon chuchota :

– Tu sais, si tu me les prépares, je veux bien les manger, les crêpes au piment.

Viviane éclata de rire :

– Menteur !

## LA DERNIÈRE DÉCOUVERTE

Blotti dans un fauteuil de cuir, Gaël pensait qu'il aimait VRAIMENT la maison des Caradec, le jardin où la neige le disputait aux plaques d'herbes oubliées par l'hiver, le salon confortable, le feu.

Viviane s'était assise près du garçon, Crapule posait un museau humide sur ses genoux.

Madame Lemouton ouvrait des yeux ronds :

– Vous souhaitez adopter Gaël ?

Monsieur et madame Caradec souriaient :

– Oui.

– Pourquoi ?!

– Savez-vous que notre chère Viviane a été kidnappée par une affreuse SORCIÈRE ? Elle a disparu pendant plus d'une semaine et Gaël l'a sauvée au péril de sa vie, après des efforts inouïs, des exploits surhumains, des aventures effroyables, et sans l'aide de personne !

Madame Lemouton bredouilla :

– Qui vous a raconté ça ?

– Viviane... et Gaël.

La directrice de l'orphelinat se tourna vers le gamin :

– Tu as dit ça, toi ?

Le regard bleu de Gaël semblait plus candide que jamais :

– Oui, madame Lemouton.

– Et c'est vrai ?

– Bien sûr, madame Lemouton !

– Vraiment vrai ?

– Absolument, madame Lemouton.

Monsieur Caradec posa sa main sur les cheveux de Gaël, tout heureux :

– Vous soupçonnez Gaël de mentir ?

Un garçon adorable, incapable de la moindre imposture.

Madame Lemouton bafouillait lamentablement :

– Breu... Brou...

Madame Caradec attira contre elle l'orphelin qui rougit de bonheur. L'enfant murmura :

– Vous êtes si gentils avec moi. Hier, il y avait des choux de Bruxelles et j'ADORE ça. Et ce soir, je voudrais TANT avoir un GRAND plat de courgettes que je pourrais partager avec Hervé, Yann et Gildas, avec qui j'adore jouer bien tranquillement.

Madame Caradec l'embrassa :

– Il est si mignon. Si différent de ces chenapans qui détestent les légumes et tapent sur les enfants plus jeunes qu'eux.

Gaël protesta d'une voix scandalisée :
– Je ne ferais JAMAIS ça !

Monsieur Caradec s'inquiétait :
– Viviane, tu te sens bien ?

La fillette toussait à fendre l'âme :
– Hum... heu... Ça va... Je me suis

juste un peu étranglée avec un... hem...
un chou à la crème.

Madame Lemouton marmonna :

– Dans ce cas... Je pars...

Gaël sauta sur ses pieds :

– Je vous raccompagne !

Le garçon l'escorta jusqu'à la porte.
La directrice demanda encore :

– Tu es réellement content ?

L'ancien liftier contempla la façade
de pierres grises, le lierre bruissant, la
fumée qui s'étirait au-dessus de la cheminée, les fenêtres dorées, accueillan-
tes. Il clama avec sincérité :

– Oh oui !

La directrice le regarda d'un air de
doute :

– Gaël... Juste pour me faire plaisir...
Je voudrais vérifier... Dis-moi donc un
petit mensonge ?

Le garçon blond lui adressa un grand
sourire et affirma, la main sur le cœur :

– Vous avez un très joli nom, et je
vous aime BEAUCOUP, ma chère madame Lechèvre !

La directrice blêmit, s'engouffra dans

sa voiture et disparut sans demander son reste.

L'enfant éclata de rire, se retourna. Ils l'attendaient tous : les gamins, Crapule, langue pendante (il convoitait l'ultime petit four), Viviane, et ses parents.

– Rentre, Gaël...

Le dimanche suivant, après une semaine d'école pendant laquelle Gaël n'avait pas menti... enfin, presque pas... euh, pas trop souvent, Viviane et lui parcoururent la lande. Ils cherchaient la maison de monsieur Miel, le puits, la queue du chat noir, et peut-être bien la danse des korrigans et le trésor des poulpiquets. Crapule les précédait, oreilles au vent.

Gaël fronçait les sourcils :

– C'était là, je crois.

Viviane portait un blouson vert décoré d'un voilier bleu. Elle protesta :

– Mais tout est en ruine !

La bâtisse semblait abandonnée depuis de longues années : il n'en subsistait que des pans de murs effondrés, couverts de mousse et de chardons. Crapule reniflait fébrilement sous chaque caillou, dans l'espoir de déterrer une omelette aux truffes...

Meubles, livres, poêle, phonographe, cornues et marmites, tout avait disparu. Des herbes folles rongeaient la margelle du puits et les dalles disjointes de l'ancien laboratoire.

Gaël murmura :

– Je n'y comprends rien...

Viviane se baissa :

– J'ai trouvé quelque chose... On dirait une carte de visite.

Gaël lut à voix haute :

*R. N. MIEL*
*Historien*

Viviane réfléchissait :

– Tu te souviens de la plaque, sur l'immeuble de la sorcière ?

– Évidemment ! ACA-Brosse. Pourquoi ?

– Regarde !

La fillette s'accroupit et écrivit lentement dans la poussière, sous l'œil intéressé du labrador :

R. N. MIEL        ACA-BROSSE

Et dessous :

MERLIN        CARABOSSE

Les enfants échangèrent un long regard. Viviane effaça les quatre noms ; et, par mesure de précaution, Crapule les balaya consciencieusement à grands coups de queue.

La fillette hocha la tête. Le vent tordait sa chevelure blonde.

– Heureusement que tu es devenu un VRAI menteur à temps. Car là, personne ne nous croirait !

## PARLER VRAI

*La vérité sort de la bouche des enfants :* les enfants disent parfois des choses que les adultes préféreraient cacher

*Dire ses quatre vérités à quelqu'un :* dire à quelqu'un ce qu'on pense de lui sans ménagement

*Un pieux mensonge :* un mensonge inspiré par la pitié, pour épargner quelqu'un

*Mentir comme un arracheur de dents :* mentir tout le temps

*À menteur, menteur et demi :* on peut toujours tomber sur plus menteur que soi

*Qui dit un mensonge en dit cent :* il est difficile de s'arrêter de mentir quand on a commencé

# LES QUATRE VÉRITÉS

La vérité est aux oreilles ce que la fumée est aux yeux et le vinaigre aux dents *(proverbe allemand )*

Le menteur doit avoir une bonne mémoire *(latin )*

La vérité fait rougir le diable *(anglais )*

La vérité et les roses ont des épines *(anglais )*

Quand tu lances la flèche de la vérité, trempe la pointe dans du miel *(arabe )*

Celui qui dit la vérité trouve les portes closes *(danois )*

Il ne faut pas montrer la vérité nue, mais en chemise *(espagnol )*

Avec la vérité, on va partout, même en prison *(polonais )*

Un cheveu sépare le faux du vrai *( persan )*

La vérité n'a qu'une couleur, le mensonge en a plusieurs *(sanscrit )*

L'homme qui ne craint pas la vérité n'a rien à craindre du mensonge *(américain)*

Le mensonge qui fait du bien vaut mieux que la vérité qui fait du mal *(persan)*

# *FÉES OU SORCIÈRES ?*

Les fées ont la réputation d'être ravissantes, avec leurs longs cheveux de soie sous des voiles vaporeux ; les sorcières seraient plutôt semblables à de vieux épouvantails rabougris, cachant un regard de braise sous des sourcils broussailleux. La baguette magique des premières apporte joies et merveilles, tandis que les doigts crochus des secondes se consacrent plutôt à la fabrication d'infâmes breuvages maléfiques...

Mais attention ! Toutes les fées ne sont pas aussi gentilles qu'on le croit ! La fée Carabosse, par exemple, est aussi laide et aussi méchante qu'une véritable sorcière. Il y a des fées jalouses, comme la fée Viviane qui enferma Merlin l'enchanteur dans un cercle magique au cœur de la forêt de Brocéliande, en Bretagne. Il y a des fées rancunières, comme celle que l'on avait oublié d'inviter au baptême de la Belle au Bois Dormant. Et puis, il y a les vraies sorcières déguisées en fausses fées. Ce sont les plus dangereuses... mais on peut les repérer assez facilement, car elles portent toujours des gants pour cacher leurs ongles trop longs, et elles sont souvent accompagnées de leur animal préféré – chauve-souris apprivoisée, crapaud baveux ou araignée savante.

Mais savez-vous qu'il y a aussi de bonnes sorcières ? En Italie, la *Befana*, une vieille femme avec de grandes dents, des souliers troués et des haillons noirs, ne se déplace qu'à califourchon sur son balai. La nuit du 5 au 6 janvier, elle vole de maison en maison pour déposer dans les cheminées des jouets pour les enfants sages, des morceaux de charbon pour les autres.

## SAVEZ-VOUS QUE...

Paimpol a longtemps été l'un des plus importants ports de pêche à la morue. Dans la vieille ville, on peut admirer les maisons des armateurs, propriétaires des goëlettes qui partaient pour de longs mois vers l'Islande, à la limite de l'océan Atlantique et de l'Antarctique... Chaque bateau embarquait une vingtaine d'hommes à bord pour des campagnes qui duraient six mois. La pêche à la morue se pratiquait du printemps à l'automne, à la main, avec des lignes lestées d'un plomb de sept livres.

Il faut visiter à Paimpol le petit musée de la mer qui retrace la vie de ces « pêcheurs d'Islande ». Aujourd'hui, la région se consacre au tourisme, à l'ostréiculture et à la pêche côtière.

# GNOMES, LUTINS ET FARFADETS

Ils habitent dans les lieux désertiques, bois, landes ou prairies, mais on peut en trouver dans les jardins, les étables et même les maisons. Ils portent des noms différents selon le pays où ils vivent : trolls en Norvège, djinns en Afrique, elfes en Irlande, dracs en Provence, fadets dans le Berry. En Bretagne, ce sont les kérions, kornandons, korrigans, poulpikans, corils, korridets, boudiks, buguel-noz, duzic-noz, etc. Ils ne se ressemblent pas forcément, mais ce sont en général des petits nains barbus, avec un chapeau pointu, vifs, agiles et très taquins. Ils aiment rire et danser : gare à l'homme qui s'égare dans la lande une nuit d'été... s'il rencontre des korrigans dansant autour d'un menhir, il sera obligé de danser avec eux, jusqu'à ce qu'il tombe d'épuisement !

Certains sont très serviables, et aiment rendre de petits services dans les bonnes maisons. Pour les remercier, on leur laisse un peu de braise dans la cheminée, du pain, du beurre ou quelques épluchures sur la table.

Beaucoup aiment jouer des tours – par exemple, tresser la crinière des chevaux pour se faire des étriers. Pour éviter ces petits désagréments, on peut leur laisser des coquilles d'œufs avec lesquelles ils jouent, ou un pot rempli de pois. Ils se mettent à les compter jusqu'au lever du soleil, oubliant leurs mauvaises intentions.

Mais attention aux korrigans qui égarent les hommes dans les marais, qui coupent les amarres des bateaux ou entraînent les marins sur les écueils... Ceux-là, mieux vaut ne pas les rencontrer !

Ces dossiers ont été établis en collaboration avec Nicole Bustarret.

## L'AUTEUR

Né à Strasbourg en 1958, Paul Thiès a fait escale à Buenos Aires, Madrid, Tokyo, Mexico, avant d'atterrir plus longuement à Paris. Féru de littérature en tout genre, il est aussi remuant que ses personnages, aime beaucoup les gares et les aéroports, rencontre volontiers ses lecteurs qu'il entraîne dans des aventures endiablées, dans des univers peuplés de héros aussi touchants que malins.

## L'ILLUSTRATEUR

Philippe Matter est né en 1958.

Après une formation de typographe, il a suivi les cours des Arts décoratifs à Strasbourg. Il est illustrateur depuis 1982 et habite une petite maison dans la forêt alsacienne. Outre le dessin, il aime bien la plongée sous-marine, les balades et faire la cuisine.

# COLLECTION Cascade

## 7 - 8

# COLLECTION Cascade

## 9 - 10

Achevé d'imprimer en Janvier 1997
sur les presses de l'Imprimerie Hérissey
à Évreux (Eure)
Dépôt légal : Janvier 1997
N° d'édition : 2842 – N° d'imprimeur : 75513